Edition Schott

ren-Archiv

Edition Andrés Segovia

Joaquin Turina
1882 – 1949

Hommage à Tarrega

pour Guitare
for Guitar
für Gitarre

Edité par / Edited by / Herausgegeben von
Andrés Segovia

GA 136
ISMN 979-0-001-09573-0

www.schott-music.com

Mainz · London · Berlin · Madrid · New York · Paris · Prague · Tokyo · Toronto
© 1935 SCHOTT MUSIC GmbH & Co. KG, Mainz · © renewed 1963/2003 · Printed in Germany

Hommage à Tarrega

Doigté par Andrés Segovia

I Garrotin

Joaquin Turina
1882—1948

II Soleares

Allegro vivo